# Opération nez perdu

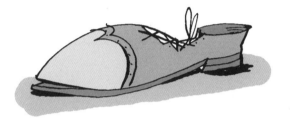

Une histoire écrite par
**Lili Chartrand**

et illustrée par
**Philippe Germain**

---

Aux petits farceurs.
**Lili**

---

Cheval masqué

**Au pas**

Catalogage avant publication de Bibliothèque et Archives nationales du Québec
et Bibliothèque et Archives Canada

Chartrand, Lili

   Opération nez perdu

   (Cheval masqué. Au pas)
   Pour enfants de 6 ans et plus.

   ISBN 978-2-89770-038-6

   I. Germain, Philppe, 1963- . II. Titre. III. Collection : Cheval masqué. Au pas.

PS8555.H4305O63 2016    jC843'.6    C2016-940538-9
PS9555.H4305O63 2016

Dépôt légal – Bibliothèque et Archives nationales du Québec, 2016
Bibliothèque et Archives Canada, 2016

Direction éditoriale : Gilda Routy
Direction littéraire et artistique : Thomas Campbell
Révision : Sophie Sainte-Marie
Mise en pages de l'intérieur et de la couverture : Janou-Ève LeGuerrier

© Bayard Canada Livres inc. 2016

Financé par le gouvernement du Canada     Canadä

Nous reconnaissons l'appui [financier] du gouvernement du Canada.

 Conseil des arts    Canada Council
du Canada    for the Arts

Nous remercions le Conseil des arts du Canada
de l'aide accordée à notre programme de publication.

Cet ouvrage a été publié avec le soutien de la SODEC. Gouvernement du Québec –
Programme de crédit d'impôt pour l'édition de livres – Gestion SODEC.

 Bayard Canada Livres
4475, rue Frontenac, Montréal (Québec) H2H 2S2
edition@bayardcanada.com
bayardlivres.ca

Imprimé au Canada

Offert en version numérique
» 978-2-89770-043-0
numérique    bayardlivres.ca

# CHAPITRE 1

# Une très mauvaise blague

Ce matin, Hilario se réveille avec une drôle de sensation. Il secoue sa tignasse rouge et frisée. Puis il se tâte le nez et il pousse un cri.

Il se précipite devant le miroir. Son nez rond, dodu et rouge a disparu!

Il ne lui reste que deux pauvres petits trous noirs! Affolé, le clown cherche sous le lit, dans la baignoire, dans le four, dans le garde-manger... Pas de nez.

Il est si énervé qu'il trébuche dans ses grands pieds!

Qui a pu lui faire une si mauvaise blague?

Pour la première fois de sa vie, Hilario n'a pas envie de rire. Dans deux heures, son groupe, les Koko Kokass, donne un spectacle.

C'est le dixième anniversaire de la Farcerie, le petit pays des clowns. Le roi Kiritro a très hâte de les voir sur scène!

Hilario met alors un foulard pour cacher la moitié de son visage. Perdu dans ses pensées, il se dirige vers le local de répétition pour annoncer l'épouvantable nouvelle à son groupe.

# CHAPITRE 2

# Un solo
# qui sonne mal

Dès l'arrivée d'Hilario, ses trois musiciens arrêtent de jouer.

Komico, le bassiste, n'a pas inventé les boutons à quatre trous, mais il les adore. Il se précipite vers Hilario et il s'écrie :

— Regarde le beau bouton blanc et brillant que j'ai trouvé près de la porte du local. On dirait un petit bijou !

Le chanteur y jette un coup d'œil. Il hausse les épaules.

— Tu as mal à la gorge? s'inquiète Facétio*, le guitariste.

— Oh non! Tu as pris froid! s'affole Droletto derrière sa batterie.

Hilario est aussi pâle que la neige qui recouvre ses grands pieds.

* Ce nom est inspiré du mot « facétie » qui signifie « plaisanterie ».

Sans prononcer un mot, il retire son foulard. Ses amis sont si surpris qu'ils tombent sur le derrière! Puis un silence de mort s'ensuit. Du jamais-vu à la Farcerie.

Hilario annonce d'une voix triste :

— Je ne me rappelle plus aucune chanson et j'ai oublié mes meilleures blagues. Sans mon nez, je ne suis plus moi-même !

— Joue donc ton solo de trompette, pour vérifier ! propose Facétio.

Le chanteur souffle dans son instrument préféré. Les clowns grimacent. On dirait un klaxon qui a vu un fantôme!

— Essaie mon porte-bonheur, suggère Komico en lui tendant le nez de son arrière-grand-père.

Aussitôt, Hilario éternue. Le nez tombe sur le sol.

— Nom d'une tarte à la crème ! s'écrie Droletto. C'est donc vrai ! Nous sommes allergiques aux autres nez !

# CHAPITRE 3

# Le rire du vautour

— Nous n'avons pas le choix, déclare Hilario. Nous devons consulter le Grand Charadio.

Les trois clowns grimacent. Celui-qui-devine-tout vit en ermite dans une forteresse, sur la petite île du lac Tordant.

Ce n'est pas tout le monde qui peut y entrer! Hilario et son groupe chaussent leurs skis. Puis ils filent à toute vitesse vers leur destination.

Quelques minutes plus tard, les quatre amis s'arrêtent devant la forteresse. Elle est gardée par un vautour. Il doit rire pour que la porte s'ouvre.

Komiko, Droletto et Facétio ont beau faire les bouffons, le rapace ne réagit pas. Soudain, Hilario a une idée : il enlève son foulard. Le vautour écarquille les yeux et... il éclate de rire !

L'immense porte de la forteresse s'ouvre en grinçant.

# CHAPITRE 4

# Un bouton qui en dit long

Le Grand Charadio apparaît. C'est le seul clown blanc de la Farcerie. Il ne rit jamais.

— Qui a réussi à faire rire mon vautour ? lance-t-il d'un ton sec.

— Moi, dit Hilario en avançant d'un pas.

Le Grand Charadio ne peut retenir un petit sourire.

— Tu as une sale tête! Où est donc passé ton nez?

— Vous devez le savoir, puisque vous êtes Celui-qui-devine-tout! déclare Facétio.

Droletto et Komico se taisent. Ils ont peur du Grand Charadio. C'est un drôle de clown, même s'il n'est pas drôle du tout!

Pendant ce temps, Hilario n'a pas cessé de l'examiner. Tout à coup, il sursaute.

— C'est VOUS qui m'avez joué cette mauvaise blague ! Il manque un bouton à votre costume. Komiko, montre-lui !

Le pauvre clown ouvre la main en tremblant. Le Grand Charadio sursaute à son tour.

En souriant, Hilario lance :

— Vous n'aviez pas prévu ça, hein ? Je sais que les clowns blancs ont la réputation d'être très jaloux. Vous avez mijoté ce plan pour nous évincer ?

Le Grand Charadio esquisse une horrible grimace :

— Perdre ton nez t'aurait-il donné une cervelle ? C'est bien la première fois qu'un clown auguste* fait preuve d'intelligence !

— OÙ EST MON NEZ ? crie Hilario, à bout de nerfs. Dites-le-moi, sinon je vous dénonce au roi Kiritro !

* Clown rigolo au nez rouge, perruque, vêtements colorés et chaussures immenses.

# CHAPITRE 5

# Une drôle de charade

Le Grand Charadio joue avec un des boutons de son costume. Il réfléchit. Si le roi Kiritro apprend son tour, le clown blanc perdra à coup sûr son respect.

— D'accord, accepte-t-il. À condition de récupérer mon bouton.

D'un air boudeur, Komiko le lui remet.
Le Grand Charadio dit alors:

— Mon premier fait mal quand
on mange trop de bonbons.

Mon deuxième est une note
de musique.

Mon troisième est essentiel
à l'éléphant.

Mon quatrième a une horrible
odeur.

Il fait une pause, puis il s'exclame,
avec un petit sourire:

— J'ai tenu parole, mais vous êtes
tellement idiots que vous ne devinerez
jamais la réponse! Le roi ne sera pas
content...

Puis le Grand Charadio referme l'immense porte de sa forteresse.

Droletto, Komiko et Facétio se mettent à réfléchir. Hilario, lui, ferme les yeux et se concentre. Il répète la charade à voix basse. Ses trois amis pensent si fort qu'ils ont mal à la tête!

— Celui-qui-devine-tout a raison. On ne découvrira jamais la solution, gémit Komico.

— J'ai trouvé ! s'écrie soudain Hilario. Dent-la-trompe-pet ! Il a enfoui mon nez dans la trompette. C'est pour ça que je faussais !

Les quatre amis n'ont jamais skié aussi vite. Le spectacle va bientôt commencer!

Dès leur arrivée au local, Hilario retire son nez de la trompette. Il lui donne un gros bisou avant de le fixer entre ses deux joues.

Il se met à chanter sans oublier une parole. Puis il lance une blague si drôle que ses amis se roulent par terre. Ouf! Hilario est redevenu lui-même!

À midi, les Koko Kokass montent
sur scène. Le groupe est déchaîné!

Tous les clowns de la Farcerie s'amusent comme des fous. C'est un nez, euh… un énorme succès!

# Le détestable cousin

**Paul Roux**

Ernest en a assez d'être toujours puni à la place de Mathis. Son cousin est un expert en mauvais coups. Il est même considéré comme un ange alors que c'est un petit démon. Comment faire pour piéger cet imposteur et révéler son vrai visage ?

# Le capitaine poulet

**Jean-Pierre Guillet,** ill. **Jean Morin**

Chez Tonin, le capitaine Kot apparaît dans son frigo. C'est un drôle de coco, qui se porte à la défense des poulets. Il menace même de transformer la Terre en omelette. Que choisira Tonin ? Manger des croquettes de poulet… ou devenir un héros ?